Once upon a time, there lived in a forest a handsome, young lion called Lancer. Unlike other lions, he was known to be neither savage nor ruthless.

Though he looked strong, powerful and formidable, he never tried to harm other creatures and was rather very friendly with them.

ایک دفعہ کی بات ہے ایک جنگل میں ایک خوبصورت نوجوان شیر رہتا تھا۔ اس کا نام لینسر تھا۔ دوسرے شیروں کے برخلاف نہ تو وہ وحشی تھا اور نہ بے رحم۔ اگرچہ دیکھنے میں وہ مضبوط طاقتور اور ڈراونا تھا لیکن اس نے کبھی دوسرے جانوروں کو نقصان پہنچانے کا ارادہ نہیں کیا بلکہ وہ تو سب کے ساتھ محبت اور نرمی سے پیش آتا تھا۔

Lancer, in fact, would never kill any animal. His mother would scold him now and then for not taking part in the hunt. Other lions in the pride often mocked at him. "You are not a lion, for sure," they taunted. He faced such remarks silently, but never tried to join hands with them for a kill.

Lancer roamed about the forest happily. He loved nature and was very fond of listening to the singing of birds. He loved to watch the butterflies, the playful small rabbits, the beautiful stream and the fish swimming in the sparkling water. Because of his soft nature, he had made quite a few friends from other species of animals. Moku the monkey, Drake the donkey, Harry the hare and Steve the stag were his good friends. He enjoyed the company of his friends and talked to them for hours. The closest of his friends, however, was Moku the monkey who always told him about many wonderful things.

لینسر نے حقیقت میں کبھی کسی جانور کو نہیں مارا۔ شکار نہ کرنے پر اسکی ماں وقتاً فوقتاً اسکو ڈانٹ ڈپٹ کرتی رہتی تھی اور دوسرے شیر اس کا مذاق اڑاتے تھے اور اسکو ذلیل کرتے تھے۔ وہ کہتے تھے کہ تو شیر ہے ہی نہیں۔ لینسر یہ سب باتیں سنتا تھا اور ذِلّت اور رُسوائی برداشت کرتا تھا لیکن پھر بھی اس نے کبھی کسی جانور کو مارنے میں ان کا ساتھ نہیں دیا۔

لینسر پورے جنگل میں ہنسی خوشی گھومتا پھرتا۔ وہ پرندوں کے چہچہانے کی آواز سُننے کا بہت شوقین تھا۔ اُسے تتلیاں، اچھلتے کُودتے خرگوش، بہتی نہریں اور نہروں میں تیرتی ہوئی مچھلیاں بہت پسند تھیں۔ اس کے نرم مزاج ہونے کی وجہ سے اس کے بہت اچھے اچھے دوست تھے جیسے بندر "موکو"، گدھا "دریک"، خرگوش "ہیری" اور ہرن "اسٹیو"، وہ ان سب دوستوں کے ساتھ ہنسی خوشی رہتا اور گھنٹوں باتیں کرتا۔ اُن سب جانوروں میں لینسر کا سب سے اچھا دوست موکو تھا جو اس کو ہمیشہ عجیب وغریب چیزوں کے بارے میں بتاتا۔

One day, Moku showed Lancer a round-shaped, red-coloured, shining thing.

"What's that, friend?" asked Lancer.

"It's called and apple," said Moku.

"Apple? I have never seen such a beautiful thing before. Let's play with it," Lancer looked excited. "It's not a thing to play with, dear," said Moku laughing loudly. "It's a delicious fruit. I love to eat it."

"I too will love to eat it. Please give it to me....please do," begged Lancer. "Oh, I'm sorry but you are a lion. You can't love to eat a fruit. Please go home now and let me relish this juicy fruit. We'll meet tomorrow again." Saying so, Moku climbed up the tree.

ایک دن بندر "موکو" نے اُسکولال رنگ کی ایک گول اور چمکدار چیز دکھائی۔

"یہ کیا ہے دوست؟" لینسر نے پُوچھا۔

"اسے سیب کہتے ہیں" موکو نے جواب دیا۔

"سیب؟" میں نے ایسی خوبصورت چیز اس سے پہلے کبھی نہیں دیکھی، آوَاس سے کھیلیں"، لینسر نے بڑے جوشیلے انداز میں کہا۔ "میرے عزیز! یہ کوئی کھیلنے کی چیز نہیں ہے"۔ موکو نے قہقہہ لگاتے ہوئے کہا۔ "یہ ایک لذیذ پھل ہے مجھے یہ بہت پسند ہے"۔

"میں بھی یہ کھاؤں گا۔ لاؤ مجھے بھی دو۔......... لاؤ" لینسر نے التجا کی۔ "مگر تم شیر ہو، تمہیں یہ پھل پسند نہیں آئے گا، جاؤ گھر جاؤ اور مجھے یہ لذیذ رس دار پھل کھانے دو۔ ہم کل ملیں گے" یہ کہہ کر موکو درخت پر چڑھ گیا۔

Lancer was very upset. He sat there looking up at the tree for some time. Then he stood up slowly and started walking towards his home. "Moku is a good friend of mine. He should have shared the apple with me," he thought painfully. Tears came to his eyes.

All along the way, Lancer thought only of the apple. So mesmerised was he with the apple that he felt it wasn't worth living without that beautiful fruit.

"I've to get an apple anyway," he said to himself.

لینسر بہت پریشان ہوا۔ کچھ دیر وہ وہاں بیٹھ کر درخت کو دیکھتا رہا۔ پھر آہستہ سے اٹھا اور گھر کی طرف چل دیا۔ "موکو تو میرا اچھا دوست ہے اس کو مجھے بھی تھوڑا سا سیب کِھلانا چاہیئے تھا"۔

پورے راستے لینسر صرف سیب کے بارے میں ہی سوچتا رہا۔ وہ سیب کا اتنا خواہشمند ہو گیا کہ اس نے سوچا خوبصُورت سیب کے بغیر جِینا ہی بیکار ہے۔

"مجھے ہر حالت میں ایک سیب حاصل کرنا ہے" اس نے اپنے آپ سے کہا۔

Back at home, Lancer's mother asked him, "Why are you looking so sad, my son?" "I want an apple," replied Lancer. “What? What did you say you want?" his mother frowned. "An apple," he said. "It's a beautiful delicious fruit."

His mother got furious. "Are you serious? Have you gone mad? Fruits are not our food. We are flesh-eating animals. We belong to the King's family. And what rubbish are you talking about?"

“But mother, I really want an apple," he sobbed. "No way," his mother roared sternly. Lancer started crying. "I must have one....at least one." The whole night he kept weeping and dreaming about the apple.

جب وہ گھر پہنچا تو اسکی ماں نے اس سے پُوچھا "تم اتنے غمگین کیوں لگ رہے ہو بیٹے؟" "مجھے سیب چاہیے" لینسر نے جواب دیا۔ "کیا؟ کیا کہا تم نے تُم کیا چاہتے ہو؟" اس کی ماں نے غصہ سے پوچھا "سیب" اس نے کہا "وہ ایک خوبصورت لذیذ پھل ہے"۔

اس کی ماں کو غصہ آگیا۔ "کیا تُم ہوش میں یہ بات کہہ رہے ہو یا تُم پاگل ہو گئے ہو؟ پھل ہمارا کھانا نہیں ہیں۔ ہم گوشت کھانے والے جانور ہیں۔ ہم شاہی خاندان کے لوگ ہیں اور تم یہ کیا بکواس کر رہے ہو؟"۔

"لیکن ممی، مجھے سیب چاہیئے ہے" اس نے روتے روتے کہا۔ "بالکل نہیں" اُس کی ماں نے ڈانٹ کر کہا۔ لینسر رونے لگا۔ "مجھے ایک سیب تو ضرور ہی چاہیئے ہے۔ کم سے کم ایک"۔ اُس روز وہ پوری رات روتا رہا اور سیب کے خواب دیکھتا رہا۔

Next day morning, Lancer crept out of his den and reached his friend Moku's tree. "Moku," he called out, "Would you please take me to the place you got the apple from?"

Moku climbed down the tree. "What a mess! A lion wants an apple!" he thought. But Lancer was his good friend after all. So he said, "It's far off from here, outside the forest area. There is a farmer's apple garden behind that blue hill. It's fenced all around and I have to sneak into it carefully to get the apples. Are you sure you want to go there with me?"

"Certainly, yes!" Lancer said with eagerness, straightening his tail up in air. "Well, let's go then," Moku said, and they started off.

اگلے دن لینسر اپنے گھر سے صبح سویرے نکل پڑا اور اپنے دوست موکو کے درخت کے پاس پہنچا اور اسکو آواز دے کر کہا"دوست کیا تم براہ مہربانی مجھے اس جگہ لے چلو گے جہاں سے تمہیں یہ سیب ملا تھا؟"۔

موکو درخت سے اترا۔ وہ دل میں کہہ رہا تھا"کتنی عجیب بات ہے۔ ایک شیر کو سیب سے دلچسپی ہے"۔ لیکن لینسر اس کا اچھا دوست تھا۔ اس لئے اس سے کہا:"وہ جگہ یہاں سے بہت دُور ہے،اس جنگل کے علاقے سے باہر، وہاں اس نیلی پہاڑی کے پیچھے ایک کسان کا باغ ہے جو چاروں طرف سے گھرا ہوا ہے۔ سیب لینے کیلئے مجھے اُس باغ میں بہت احتیاط سے جانا پڑا۔ کیا تم میرے ساتھ وہاں چلنا چاہتے ہو؟"

"ہاں میں تمہارے ساتھ وہاں ضرور چلوں گا"اس نے ہوا میں اپنی دم لہراتے ہوئے بڑے جوش اور شوق سے کہا۔"ٹھیک ہے،تو ہم چلتے ہیں"موکو نے کہا۔ پھر دونوں نے اپنا سفر شروع کر دیا۔

Lancer was very happy and highly excited. As they were passing through the forest, they met their other friends. Drake the donkey was grazing, Harry the hare was hopping around, and Steve the stag was busy nibbling the fresh leaves of small plants.

Lancer called out to them, "Hi friends! You know, I'm going to fetch apples from the apple garden, beyond that blue hill." "What on earth will you do with apples?" asked Steve.

"Of course, I'm going to eat them. I love to eat apples," retorted Lancer. They all smiled and looked at one another and said, "Have a nice day, Lancer." So, the two went on and on and at last reached their destination.

لینسر بہت خوش اور بہت جوش میں تھا۔راستہ میں جب وہ دونوں جنگل سے گذر رہے تھے ان کو ان کے دوسرے دوست ملے جیسے گدھا در یک جو کہ ہری ہری گھاس چر رہا تھا، خرگوش ہیری جو یہاں وہاں قلانچیں بھر رہا تھا اور ہرن اسٹیو جو جھاڑیوں سے تازہ پتے کھا رہا تھا۔

لینسر ان کو آواز دیتا اور کہتا"کیا حال ہے دوستو! تمہیں پتہ ہے ہم سیب کے باغ سے سیب لینے جا رہے ہیں،وہ باغ اس نیلی پہاڑی کے پیچھے ہے"۔ اسٹیو نے پوچھا:"تم سیب کا کیا کرو گے ؟"

لینسر نے اونچی اور رعب دار آواز میں جواب دیا۔"میں اسے کھاؤں گا"مجھے اس کو کھانے کا بہت شوق ہے"۔ اس کے اس جواب پر سب ہنس پڑے اور ایک دوسرے کی طرف دیکھنے لگے۔ پھر سب نے کہا"اچھا جاؤ خدا حافظ "۔ دونوں چلتے رہے یہاں تک کہ اپنی منزل مقصود تک پہنچ گئے۔

While Lancer waited outside the gate of the apple garden, Moku crossed over the fences to enter it. Lancer was getting restless waiting for Moku when he suddenly saw the gate opening slowly. The farmer's three children were coming out of the gate with their baskets full of fresh apples which were shining in the sunlight.

"Here are those wonderful fruits," he said to himself. "I can't wait for Moku anymore. I'll just request these children to give me some apples." He stood up and said very softly, "Hey, good children! How are you? Can I get some apples, please?"

The children turned their heads towards Lancer and shouted, "Lion !" They cried out together, "Run, run for your lives." And off they ran throwing down their apple baskets.

وہاں پہنچ کر لینسر تو باغ کے باہر ہی رک گیا اور دروازے پر انتظار کرنے لگا جبکہ موکو اسکی چہار دیواری پھلانگ کر اندر داخل ہو گیا۔ لینسر نے دیکھا اچانک دروازہ آہستہ آہستہ کُھلا۔ پھر کسان کے تین بچے باہر آئے ان کے ہاتھوں میں سیبوں سے بھری تین ٹوکریاں تھیں وہ سیب دھوپ میں خوب چمک رہے تھے۔

"یہ تو وہی شاندار پھل ہیں" اُس نے دل میں کہا۔ "میں اب موکو کا انتظار نہیں کر سکتا، میں ان بچوں سے گذارش کروں گا کہ کچھ سیب مجھے دیں" وہ پاس جا کر کھڑا ہوا اور بہت نرمی سے بولا: "اچھے بچو تم کیسے ہو؟ کیا براہ مہربانی تم مجھے چند سیب دو گے ؟"

بچوں نے مُڑ کر دیکھا تو وہاں لینسر کھڑا تھا۔ وہ سب ایک دم چیخ پڑے "شیر، شیر، بھاگو، اپنی جان بچاؤ" یہ کہتے ہوئے وہ سب اپنی سیبوں کی ٹوکریاں چھوڑ کر بھاگ کھڑے ہوئے۔

Lancer got a little puzzled. He had never seen anyone running away frightened at the sight of him. "I had only requested them," he murmured. But the children heard only the roar of a lion. They did not understand a lion's language. They thought the big, ferocious animal was going to pounce upon them.

Lancer's eyes then fell on the apples strewn all over. He could no longer stop himself. Immediately, he went and sat amongst the apples. He touched them, felt them, and sniffed them. "They are so many. Now, I must eat them to my heart's content," he said and started eating them.

لینسر تھوڑا پریشان ہوا۔ اس نے اپنی زندگی میں ایسا کبھی نہیں دیکھا تھا کہ کوئی اُس کو دیکھ کر اور اس سے ڈر کر بھاگ گیا ہو۔ وہ اپنے دِل میں کہنے لگا "میں نے تو صرف ان سے درخواست کی تھی"۔ لیکن دراصل بچوں نے تو صرف شیر کی آواز سنی، وہ یہ نہیں سمجھ سکے کہ وہ کیا کہہ رہا ہے۔ وہ یہ سمجھے کہ یہ خوفناک جانور ان پر حملہ کرنے والا ہے۔

پھر لینسر کی نظر زمین پر بکھرے ہوئے سیبوں پر پڑی۔ وہ خُود کو نہ روک سکا۔ وہ جلدی سے گیا اور جا کر سیبوں کے بیچ میں بیٹھ گیا۔ اس نے اُن کو چُھوا اور سونگھا۔ "یہ بہت زیادہ ہیں۔ اب میں انہیں جی بھر کے کھاؤں گا" اس نے یہ کہا اور ان سیبوں کو کھانے لگا۔

He ate more and more till he started feeling that the taste of apples was not very good. "No, it's not good at all. It's bad. Rather, it's the worst thing I have tasted in my life," he said. In the meantime, Moku returned there with a handful of apples. He saw three baskets with many apples strewn there, and an unhappy Lancer.

"What's the matter?" he asked with concern.

"You take them all, Moku," Lancer said . "I don't like them at all. I'll never eat apples again. Phew ! What a bitter experience !" While Moku was picking up the remaining apples to carry them home, Lancer ran from there straight to reach his den.

اس نے زیادہ سے زیادہ سیب کھائے یہاں تک کہ اسے لگنے لگا کہ سیبوں کا ذائقہ کچھ زیادہ اچھا نہیں ہے۔ اسی دوران موکو اپنے ہاتھوں میں سیب لئے واپس آیا اس نے دیکھا تین پھلوں کی ٹوکریاں اور بہت سے سیب بکھرے پڑے ہیں اور لینسر بھی کچھ پریشان سا بیٹھا ہے۔

"کیا بات ہے؟" اس نے پریشان ہو کر پوچھا۔

"موکو! تم ان سب سیبوں کو لے لو" لینسر نے کہا۔ "میں یہ سیب نہیں لوں گا۔ میں اب کبھی سیب نہیں کھاؤں گا، تھو تھو، کتنا خراب تجربہ ہے" موکو ان سب سیبوں کو اٹھا کر ٹوکری میں رکھنے لگا کہ ان کو اپنے ساتھ لے جائے۔ اسی دوران لینسر وہاں سے اپنے گھر کی طرف بھاگا۔

Lancer narrated the whole incident to his mother who was more than happy to know that her son disliked apples.

"I told you, dear, fruits are not our food," said his mother lovingly.

She placed a fresh piece of meat before Lancer and kissed him. He was happy and relished that food. Lancer never again talked or dreamt of apples.

لینسر نے گھر پہنچ کر پورا واقعہ اپنی ماں کو سنایا۔ وہ یہ جان کر بے انتہا خوش ہوئی کہ اس کے بیٹے کو سیبوں سے نفرت ہو گئی۔

"میرے عزیز، میں نے تم سے کہا تھا نا کہ پھل ہماری غذا نہیں ہیں" اسکی ماں نے بڑے پیار سے کہا۔

پھر اس نے گوشت کا ایک تازہ ٹکڑا لینسر کے سامنے رکھا اور اسکو ایک بوسہ دیا۔ لینسر نے خوش ہو کر وہ کھانا مزے سے کھایا۔

اس کے بعد لینسر نے نہ کبھی سیب کی بات کی نہ کبھی سیب کے خواب دیکھے۔

THE LION THAT LOVED APPLES

شیر جسے سیب پسند تھے

🐝 Biblio Bee Publications
56, Langland Crescent, Stanmore HA7 1NG, U.K.
Tel: 020 8900 2640, Fax: 020 3621 6116,
email: sales@starbooksuk.com, www.starbooksuk.com